# 그리고 끝없는 바다

글 신시아 라일런트 | 그림 수시 스티븐슨

# HENRY AND MUDGE AND THE FOREVER SEA



## 헨리와 머지
## 그리고 끝없는 바다

초판 발행 2021년 1월 15일

글 신시아 라일런트
그림 수시 스티븐슨
번역및콘텐츠감수 정소이 박새미 유아름
콘텐츠제작참여 최선민 선생님(충남 보령 성주초) 김수정 선생님(경기 부천 부인초)
권재범 선생님(충남 계룡 금암초) 박은정 선생님
책임편집 정소이 박새미 김보경
디자인 모희정 김진영
저작권 김보경
마케팅 김보미 정경훈
펴낸이 이수영

펴낸곳 (주)롱테일북스
출판등록 제2015-000191호
주소 04043 서울특별시 마포구 양화로 12길 16-9(서교동) 북앤빌딩 3층
전자메일 helper@longtailbooks.co.kr

ISBN 979-11-86701-73-7 14740

롱테일북스는 (주)북하우스 퍼블리셔스의 계열사입니다.

이 도서의 국립중앙도서관 출판예정도서목록(CIP)은 서지정보유통지원시스템 홈페이지(http://seoji.nl.go.kr)와
국가자료종합목록 구축시스템(http://kolis-net.nl.go.kr)에서 이용하실 수 있습니다. (CIP 제어번호 : CIP2020053054)

# Contents

# 해변으로

여름 방학이었고

헨리와 그의 큰 개 머지는

해변으로 가고 있었다.

머지는 한 번도 해변에 가 본 적이

없었다.

헨리는 녀석이 해변을

좋아할 것이라고 장담했다.

“넌 파도를 좋아할 거야.”

그가 말했다.

“그리고 모래성도.

또 조개껍데기들도.

하지만 바닷물을 마시면 안 돼!”

그가 경고했다.

“너무 짜니까!”

그들은 헨리의 아빠와 함께

차를 타고 갔다.

헨리의 가방 안에는

초록색 물안경,

노란색 양동이,

주황색 삽,

그리고 장난감

덤프트럭이 있었다.

머지의 가방 안에는

파란색 그릇,

물 한 병,

뼈 반쪽,

그리고 테니스 공이 있었다.

헨리의 아빠의 가방 안에는

조개껍데기들에 대한 책,

수건 여섯 장,

그리고 그가 가지고 다니기를

좋아하는

빨간색 고무 바닷가재가 있었다.

가는 내내

그들은 바다에 대한 노래를 불렀다.

헨리의 아빠는

거의 백 번 정도

“요-호-호”

라고 말했다.

헨리는 상어 흉내를 냈다.

머지는 그저 꼬리를 흔들었다.

그들은 빨리

그곳에 도착하고 싶었다.

# 끝없는 바다

"바다가 보여요!" 헨리가 외쳤다.

바다가 기다리고 있었다.

그것은 파랗고

하얗고

끝이 없었다.

헨리의 아빠는

차 경적을 울렸다.

머지는 짖었다.

그들은 주차를 하고

모래사장을 향해 달려갔다.

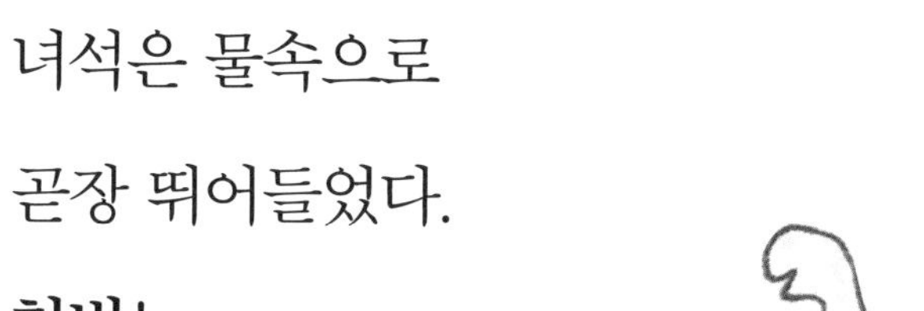

머지가 그곳에 가장 먼저 도착했다.

녀석은 물속으로

곧장 뛰어들었다.

**첨벙**!

헨리가 두 번째로 들어갔다.

**첨벙**!

헨리의 아빠가 세 번째로 들어갔다.

**첨벙**!

하얀 물거품이

그들의 다리 주위로

밀려들었다.

그들은 웃으며 깡충 뛰었고

도망쳤다.

큰 파도가

헨리를 쓰러뜨렸다.

그는 다시 해변으로

쭉

굴러갔다.

"우와." 헨리가 말했다.

그는 일어나

다시 뛰어들었다.

헨리의 아빠는
마치 자신의 몸이
서핑 보드인 것처럼
파도를 탔다.

아빠는

다시 해변까지 쭉

파도를 탔다.

“우와.” 그가 말했다.

그는 일어나서

다시 뛰어들었다.

머지는 헨리와 헨리의 아빠처럼

용감하지 않았다.

녀석은 그저

해변가를 따라 달렸다.

녀석은 큰 파도에서

멀리 떨어져 있었다.

하지만 그런데도 녀석은

너무 젖어서

마치 다리가 달린 고래처럼

보였다.

그들은 모두

오랫동안 놀았다.

점심을 먹기 위해,

헨리와 머지

그리고 헨리의 아빠는

핫도그 가판대로 걸어갔다.

헨리는 케첩을 뿌린

핫도그를 먹었다.

헨리의 아빠는 케첩과

머스터드와

양파와

양배추 샐러드와

칠리

그리고 치즈를 넣은

핫도그를 먹었다.

"우웩." 헨리가 말했다.

머지는 핫도그를 세 개나 먹었다.

아무것도 들어가지 않은 것으로.

그것도 한입에.

점심을 먹은 뒤,

헨리와 그의 아빠는

모래성을

짓기 시작했다.

헨리는 성 주위에 못을 만들었다.

헨리의 아빠는 탑을 만들었다.

머지는 멋진 침대를 만들고

잠이 들었다.

성이 완성되었을 때,

헨리의 아빠는

그의 빨간색 고무 바닷가재를

가장 높은 탑 위에 꽂았다.

그리고 아빠와 헨리는

박수를 쳤다.

갑자기

거대한 파도가

모래사장으로 깊숙이 밀려왔고

모든 것을 덮어 버렸다.

그것은 성 주위의 못을 덮쳤다.

그것은 탑을 덮쳤다.

그것은 머지를 덮쳤고, 녀석은 잠에서 깼다.

"이런." 헨리가 말했다.

"저 바닷가재를 구해야 해!"

헨리의 아빠가 외쳤다.

파도가 그것을 바다로

끌어가고 있었다.

머지가 달려가 파도 속으로

뛰어들었다.

녀석은 바닷가재가

영원히 사라지기 전에 낚아챘다.

"착한 개로구나!" 헨리의 아빠가 말했다.

"용감한 개야!" 헨리가 말했다.

그들은 모두 축하하기 위해

체리 스노콘을 먹었다.

## 게야, 잘 가

하루가 끝날 무렵

바다와

작별 인사를 할

시간이 되었다.

헨리와 머지
그리고 헨리의 아빠는
주황빛 노을을 보면서,
초록색과 노란색으로
반짝이는 바다를 보면서,
모래사장을 따라
걸어갔다.

갑자기,

게 한 마리가 모래 속에서

불쑥 튀어나왔다.

그것은 매우 빠르게,

옆으로 기어서 다가왔다.

너무 빨라서 하마터면

머지가 그것을 밟을 뻔했다.

"조심해, 머지!"

헨리가 말했다.

머지는 멈춰서

자기 코를

모래에 갖다 대었다.

게가 녀석을 바라보았다.

녀석도 게를 바라보았다.

"난 저것이 게의 앞면인지

아니면 게의 뒷면인지

알 수가 없구나."

헨리의 아빠가 말했다.

갑자기 게가,

옆으로 움직이며,

그들에게서 도망쳤다.

머지가 그것을 쫓아갔다.

게는 모래 속으로

다시 쏙 들어갔다.

헨리는 게가 만든

새 구멍을 바라보았다.

“우와.” 그가 말했다.

“우와.” 아빠가 말했다.

머지는 자기 코를

구멍 속으로 집어넣었다.

하지만 아무도 나오지 않았다.

"우리가 저녁으로 게를

먹을 수 없게 되었으니까."

헨리의 아빠가 말했다.

"내 생각에 우리는

체리 스노콘을 하나 더

먹어야 할 것 같구나."

헨리가 환호하며 아빠를 껴안았다.
그들이 모래사장을 따라 걸어갈 때,
머지는 녀석이 본 모든 구멍 속에
자기 코를 찔러 넣었다.

하지만 아무도

결코 나오지 않았다.

# Activities

영어 원서를 총 여섯 개의 파트로 나누어,
각 파트별로 다양한 액티비티를 담았습니다.

각 파트의 영어 원서 페이지는 롱테일북스에서 출간된
'롱테일 에디션'을 기준으로 합니다!
수입 원서와는 페이지 구성에 차이가 있으니 참고하세요.

# VOCABULARY

여름

summer

휴가

vacation

해변

beach

파도

wave

모래

sand

성

castle

조개껍데기

shell

마시다

drink

가방

bag

물안경

goggles

양동이

bucket

삽

shovel

덤프트럭

dump truck

그릇

bowl

병

jug

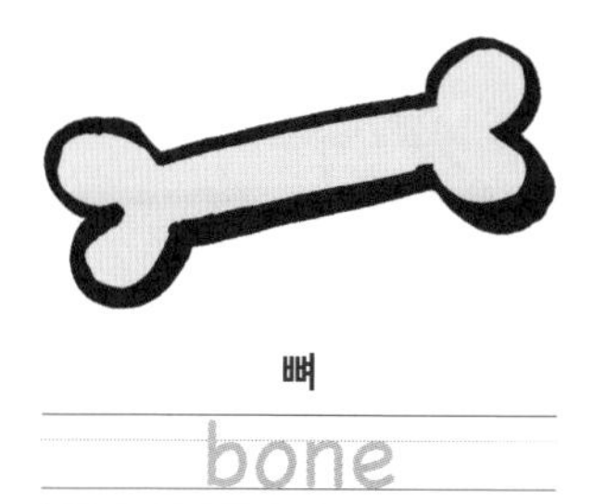

뼈

bone

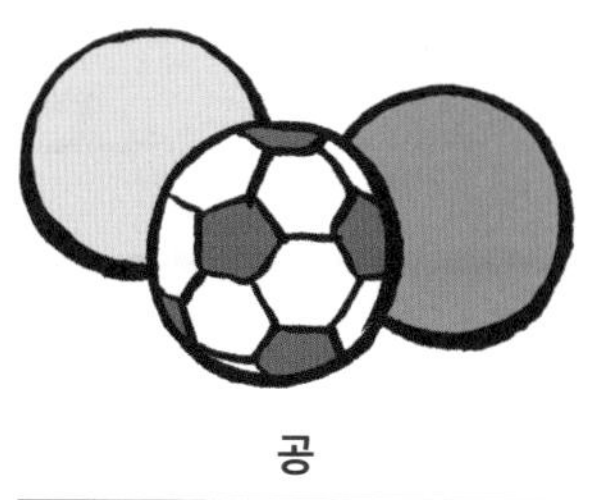

공

ball

상어

shark

# VOCABULARY QUIZ

**1** 그림에 맞는 단어를 퍼즐에서 찾아 표시하고 단어를 써 보세요.

| | | | | | | | | | | |
|---|---|---|---|---|---|---|---|---|---|---|
| s | n | g | f | r | c | a | s | t | l | e |
| u | p | o | d | c | d | t | u | l | d | c |
| m | i | g | j | k | l | d | r | i | n | k |
| m | h | g | c | l | v | v | n | o | z | e |
| e | w | l | v | c | a | v | m | k | r | m |
| r | p | e | u | v | c | u | b | k | b | e |
| r | j | s | t | f | a | i | c | o | o | e |
| c | e | l | s | q | t | z | n | f | w | i |
| w | b | a | g | z | i | u | c | z | l | k |
| j | k | j | z | e | o | g | c | g | h | g |
| w | a | v | e | z | n | e | i | h | t | r |

summer

2 그림에 맞는 단어를 연결하고 빈칸에 알맞은 알파벳을 넣어 보세요.

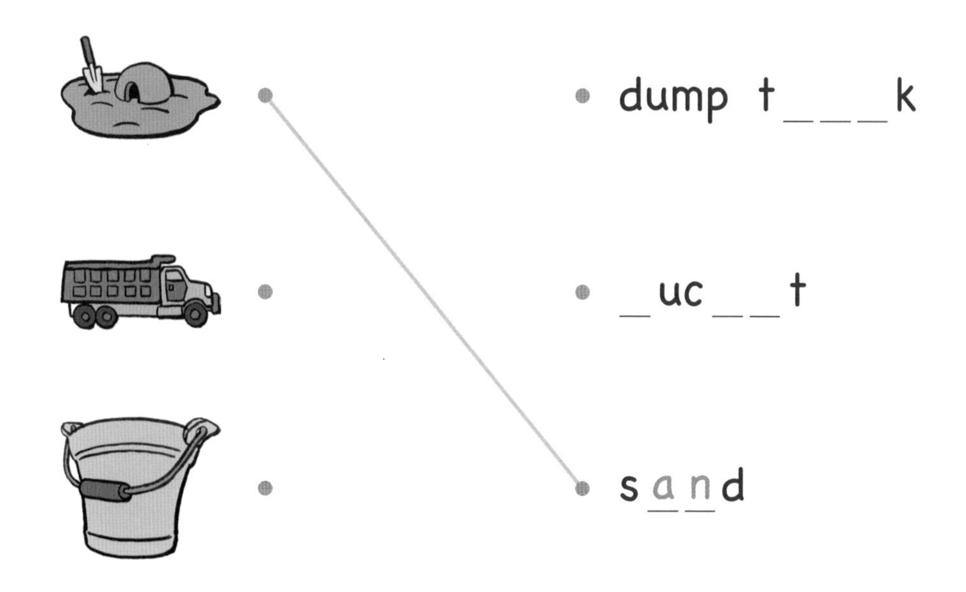


3 글자를 바르게 배열하여 단어를 완성해 보세요.

llesh

shell

jgu

blal

cebah

nobe

vlehso

harsk

awev

1 이야기의 순서에 맞게 그림을 배열해 보세요.

On the way to the beach, Henry and his father sang sea songs.

Henry packed a few things for the beach trip.

Henry told Mudge that he would like the beach.

Henry, Mudge, and Henry's father were going to the beach.

## 2 다음 질문에 알맞은 답을 선택해 보세요.

1) Why did Henry tell Mudge NOT to drink the sea water?

a. It was too dirty.

b. It was too salty.

c. It was too sandy.

2) Which of the following was NOT in Mudge's bag?

a. A jug of water

b. A rubber lobster

c. A blue bowl

3) What did Henry do on the way to the beach?

a. Henry slept in the back seat.

b. Henry packed his bag.

c. Henry pretended to be a shark.

## 3 책의 내용과 일치하면 T, 그렇지 않으면 F를 적어 보세요.

1) Mudge had been to the beach before. ____

2) Henry's father put a book about shells in his bag. ____

3) Henry's father said "Yo-ho-ho" only once. ____

# PATTERN DRILL

## 유용한 영어 표현

Henry and Mudge **couldn't wait to** get there.
헨리와 머지는 빨리 그곳에 도착하고 싶었다.

차를 타고 가는 동안 빨리 바다에 도착하고 싶었던 헨리와 머지. 이렇게 기다리는 것이 힘들 정도로 빨리 어떤 일을 하고 싶을 때가 있죠? 그래서 **"빨리 ~하고 싶다"**라고 말할 때는 '~하는 것을 기다릴 수 없다'라는 의미로 cannot wait to 다음에 동작을 나타내는 표현을 원래 모습 그대로 써요.

**cannot wait to + [동작]: 빨리 ~하고 싶다**

* cannot은 can't로 줄여서 쓸 수 있어요.

I **cannot wait to** see you.
나는 빨리 너를 보고 싶다.

We **can't wait to** hear the news.
우리는 빨리 그 소식을 듣고 싶다.

He **could not wait to** grow up.
그는 빨리 어른이 되고 싶었다.
* 지나간 일에 대해 말할 때는 cannot 대신 could not(couldn't)을 사용해요.

The children **couldn't wait to** meet Santa Claus.
그 아이들은 빨리 산타 클로스를 만나고 싶었다.

우리말과 뜻이 통하도록 네모 안에 들어 있는 말을 바르게 배열해 보세요.

1. 나는 빨리 그 책을 읽고 싶다.

| cannot wait to<br>빨리 ~하고 싶다 | I<br>나 | read<br>읽다 | the book<br>그 책 |
|---|---|---|---|

I cannot wait to ______________________________.

2. 우리는 빨리 뉴욕에 가고 싶다.

| to New York<br>뉴욕에 | go<br>가다 | can't wait to<br>빨리 ~하고 싶다 | we<br>우리 |
|---|---|---|---|

______________________________.

3. 그녀는 빨리 그 퍼즐을 풀고 싶었다.

| solve<br>풀다 | she<br>그녀 | couldn't wait to<br>빨리 ~하고 싶었다 | the puzzle<br>그 퍼즐 |
|---|---|---|---|

______________________________.

4. 그는 빨리 그의 새 바지를 입고 싶었다.

| wear<br>입다 | could not wait to<br>빨리 ~하고 싶었다 | his new pants<br>그의 새 바지 | he<br>그 |
|---|---|---|---|

______________________________.

5. 그 아이들은 빨리 눈사람을 만들고 싶었다.

| build<br>만들다 | the children<br>그 아이들 | couldn't wait to<br>빨리 ~하고 싶었다 | a snowman<br>눈사람 |
|---|---|---|---|

______________________________.

# VOCABULARY

바다

ocean

기다리다

wait

흰색의

white

영원한; 영원히

forever

경적

horn

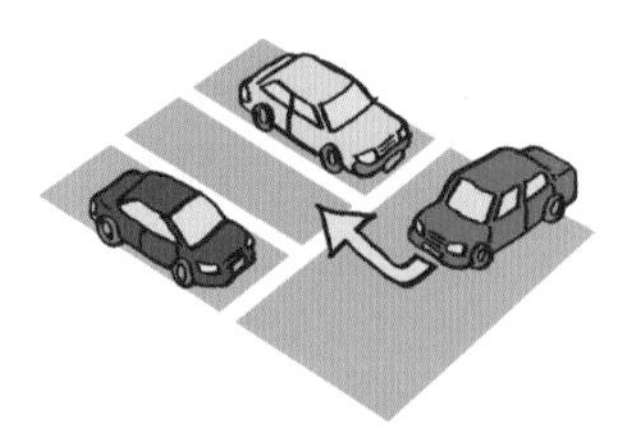

주차하다; 공원

park

첨벙 (하는 소리); 첨벙거리다

splash

거품

foam

돌진하다

rush

다리

leg

웃다

laugh

깡충 뛰다 (과거형 hopped)

hop

해변

shore

서프보드

surfboard

용감한

brave

가장자리

edge

젖은, 축축한

wet

고래

whale

# VOCABULARY QUIZ

1 알파벳을 연결해서 단어를 만들고, 알맞은 그림과 연결해 보세요.

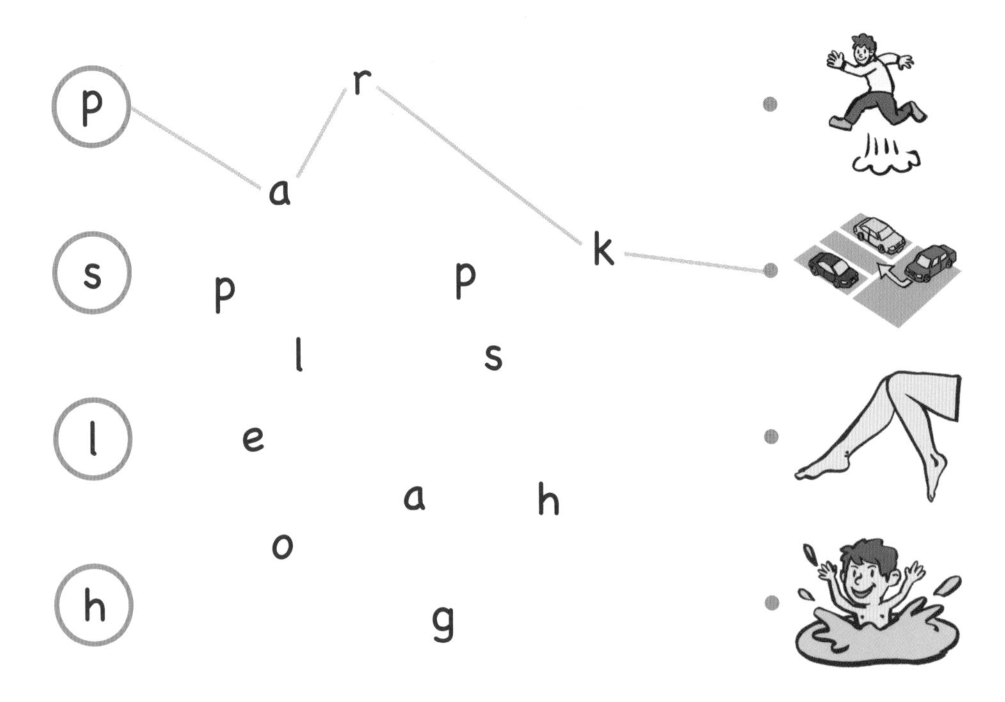


2 빈칸에 알맞은 알파벳을 넣어 단어를 완성해 보세요.

## 3 그림을 보고 알맞은 단어를 넣어 퍼즐을 완성해 보세요.

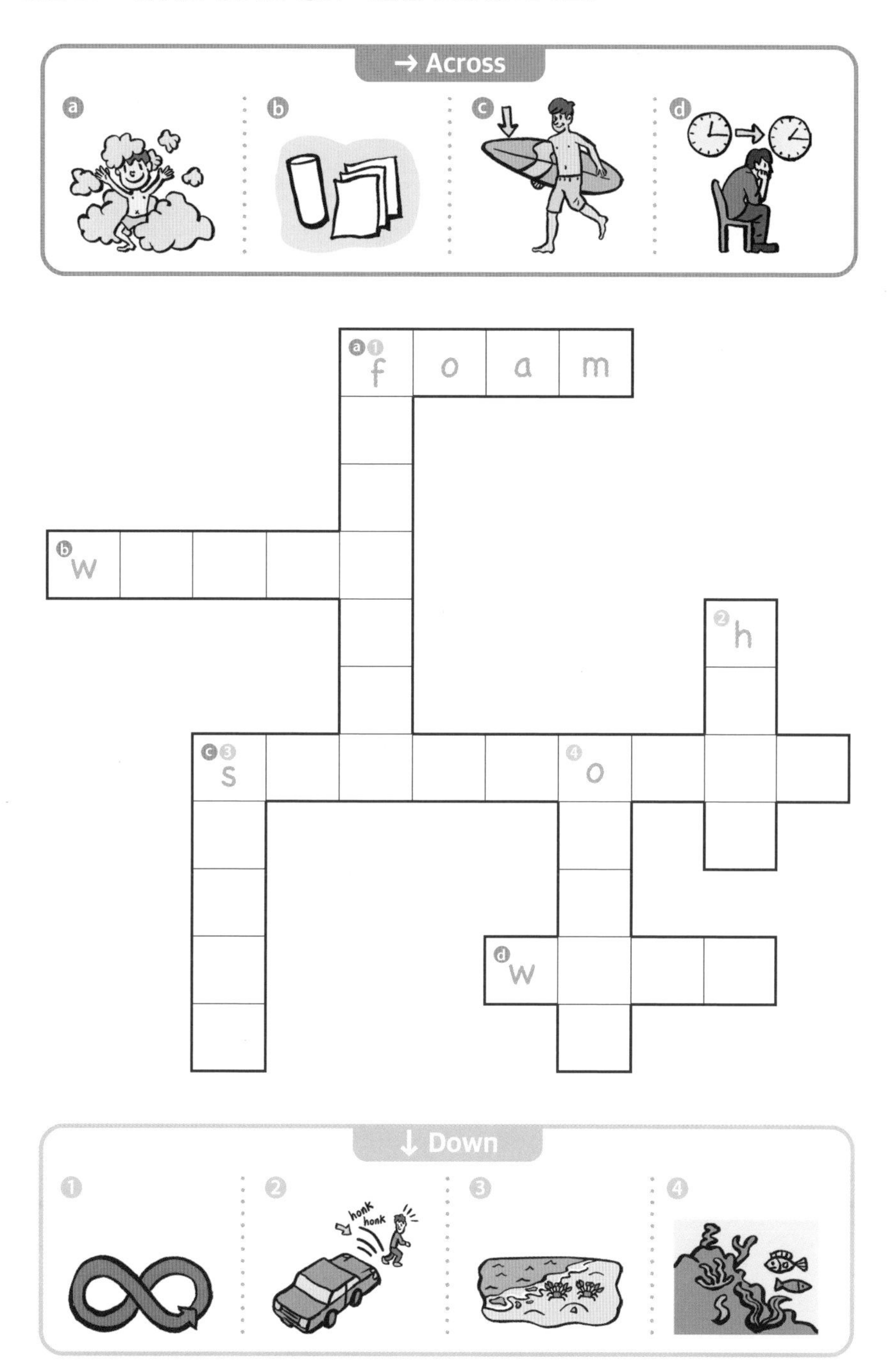

**1** 이야기의 순서에 맞게 그림을 배열해 보세요.

a

Mudge was afraid to run into the big waves.

b

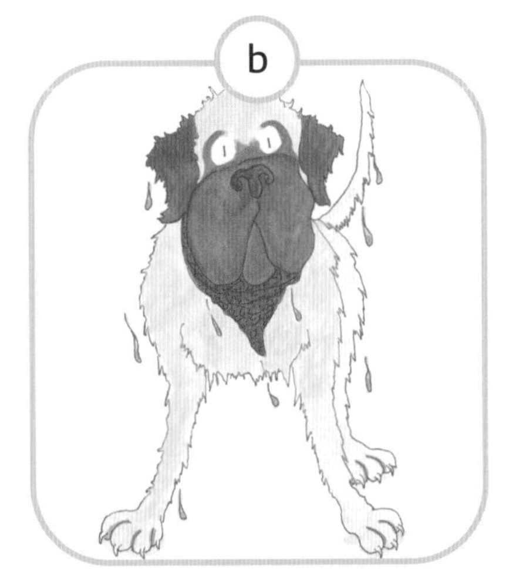

Mudge got wet anyway.

c

A big wave rolled Henry back to the shore.

d

Mudge got into the water first.

## 2 다음 질문에 알맞은 답을 선택해 보세요.

1) Who was the last one to run into the ocean?

a. Mudge

b. Henry

c. Henry's father

2) How did Henry's father ride a wave?

a. He rode it like he was a surfboard.

b. He rode it like he was a whale.

c. He rode it like he was a mermaid.

3) What did Henry do when a big wave pushed him back to the shore?

a. He ran along the shore.

b. He got up and ran back into the water.

c. He stayed with Mudge at the edge of the shore.

## 3 책의 내용과 일치하면 T, 그렇지 않으면 F를 적어 보세요.

1) Henry ran into the water first. ____

2) Mudge was not as brave as Henry and Henry's father. ____

3) Mudge stayed out of the waves but he got wet. ____

## 유용한 영어 표현

**Mudge looked like a whale with legs.**
머지는 다리가 달린 고래처럼 보였다.

처음 가 본 바다에서 머지가 정말 즐거운 시간을 보내는 것 같죠? 즐겁게 논 머지는 너무 젖어서 다리가 달린 고래처럼 보였어요. 이렇게 무언가가 다른 어떤 것과 비슷하게 보인다고 말할 때는 look like 다음에 사람이나 사물 등의 대상을 써요. 그렇게 하면 **"~처럼 보이다"**라는 뜻이 돼요.

**look like + [대상]: ~처럼 보이다**

You **look like** a doctor.
너는 의사처럼 보인다.

The clouds in the sky **look like** a flock of sheep.
하늘의 구름이 양떼처럼 보인다.

The map **looked like** a spider's web.
그 지도는 거미줄처럼 보였다.

She **looked like** a movie star.
그녀는 영화배우처럼 보였다.

우리말과 뜻이 통하도록 네모 안에 들어 있는 말을 바르게 배열해 보세요.

1. 그 새들은 파란 공처럼 보인다.

| look like | blue balls | the birds |
|---|---|---|
| ~처럼 보이다 | 파란 공 | 그 새들 |

The birds look like ________________.

2. 그 나뭇가지들은 공룡 뼈처럼 보인다.

| dinosaur bones | look like | the branches |
|---|---|---|
| 공룡 뼈 | ~처럼 보인다 | 그 나뭇가지들 |

________________.

3. 그 밭은 금빛 바다처럼 보였다.

| a golden sea | the field | looked like |
|---|---|---|
| 금빛 바다 | 그 밭 | ~처럼 보였다 |

________________.

4. 그것은 보물 상자처럼 보였다.

| looked like | it | a treasure box |
|---|---|---|
| ~처럼 보였다 | 그것 | 보물 상자 |

________________.

5. 벽 위의 그림자가 괴물처럼 보였다.

| the shadow on the wall | a monster | looked like |
|---|---|---|
| 벽 위의 그림자 | 괴물 | ~처럼 보였다 |

________________.

# VOCABULARY

점심 식사

lunch

아버지

father

걷다

walk

가판대

stand

케첩

ketchup

양파

onion

양배추 샐러드

slaw

치즈

cheese

웩

yuck

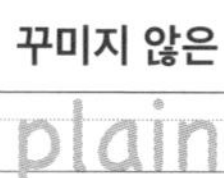
꾸미지 않은

plain

짓다

build

모래

sand

성

castle

호(성 주위에 둘러 판 못)

moat

탑

tower

멋진

nice

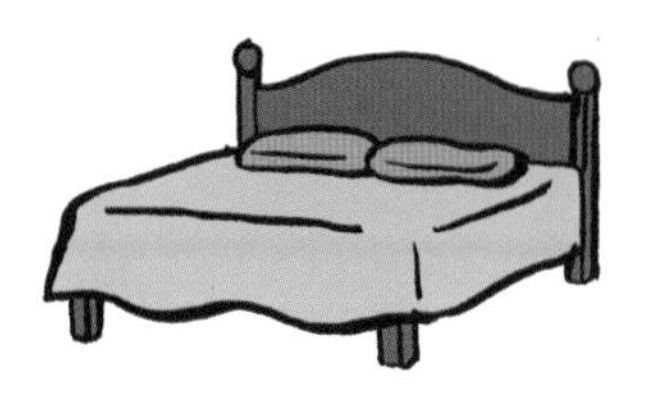

침대

bed

잠; 잠을 자다

sleep

# VOCABULARY QUIZ

**1** 그림에 맞는 단어를 퍼즐에서 찾아 표시하고 단어를 써 보세요.

| | | | | | | | | | | |
|---|---|---|---|---|---|---|---|---|---|---|
| x | q | t | q | p | j | r | r | s | h | r |
| h | b | o | q | k | y | r | z | l | m | i |
| c | m | w | h | w | e | s | t | a | n | d |
| m | x | e | s | a | n | l | t | w | y | w |
| v | u | r | u | l | g | u | s | n | x | c |
| l | p | a | z | k | e | t | c | h | u | p |
| u | n | f | f | h | f | i | r | o | k | t |
| n | u | q | f | r | a | g | j | t | w | x |
| c | d | v | d | h | d | o | n | i | o | n |
| h | q | y | m | t | i | m | k | j | f | i |
| t | y | f | a | t | h | e | r | n | w | i |

______

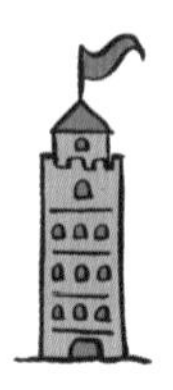

______

## 2 그림에 맞는 단어를 연결하고 빈칸에 알맞은 알파벳을 넣어 보세요.

_la__

c__e_e

s___p

## 3 글자를 바르게 배열하여 단어를 완성해 보세요.

a d s n
________

i l d b u
________

k y c u
________

e s t c l a
________

a t m o
________

e n i c
________

e b d
________

n i o o n
________

# WRAP-UP QUIZ

**1** 이야기의 순서에 맞게 그림을 배열해 보세요.

a

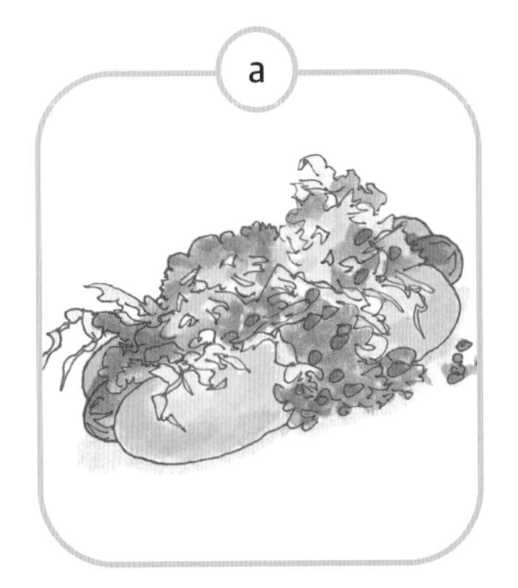

Henry's father had a hot dog with a lot of things for lunch.

b

Henry and Henry's father built a sand castle after lunch.

c

Mudge had three plain hot dogs for lunch.

d

Mudge slept while Henry and his father played with the sand.

## 2 다음 질문에 알맞은 답을 선택해 보세요.

1) What did Henry, Mudge, and Henry's father have for lunch?

a. They had hamburgers.

b. They had hot dogs.

c. They had grilled fish.

2) What did Henry and his father begin to do after lunch?

a. They began to build a sand castle.

b. They began to play beach volleyball.

c. They began to sleep.

3) Which was NOT true about the sand castle?

a. It had moats.

b. It had towers.

c. It had bridges.

## 3 책의 내용과 일치하면 **T**, 그렇지 않으면 **F**를 적어 보세요.

1) Henry had a hot dog with chili. ______

2) Mudge had three hot dogs in one gulp. ______

3) Mudge sat on the sand castle that Henry made. ______

## 유용한 영어 표현

Henry **began to** build a sand castle.
헨리는 모래성을 짓기 시작했다.

맛있는 핫도그를 먹은 뒤 헨리는 아빠와 함께 모래성을 만들기 시작했어요. 이렇게 **"~하기 시작하다"**, **"~하는 것을 시작하다"**라고 말할 때는 begin to 다음에 동작을 나타내는 표현을 쓰면 돼요. 예전에 공부한 **start + [동작]ing**와 같은 뜻이지요. 이때 동작 표현은 항상 원래 모습으로 써요.

**begin to + [동작]: ~하기 시작하다**

We **begin to** get angry.
우리는 화가 나기 시작한다.

My eyes **begin to** water.
내 눈에서 눈물이 나기 시작한다.

She **began to** play the violin.
그녀는 바이올린을 연주하기 시작했다.
*** 지나간 일에 대해 말할 때 begin은 began으로 변해요.**

The guests **began to** arrive.
손님들이 도착하기 시작했다.

우리말과 뜻이 통하도록 네모 안에 들어 있는 말을 바르게 배열해 보세요.

1. 그 새끼 고양이들은 잠을 자기 시작한다.

| begin to<br>~하기 시작하다 | the kittens<br>그 새끼 고양이들 | sleep<br>잠을 자다 |
|---|---|---|

The kittens begin to ______________________________.

2. 사람들이 모이기 시작했다.

| gather<br>모이다 | began to<br>~하기 시작했다 | the crowd<br>사람들 |
|---|---|---|

______________________________.

3. 그녀는 그 계획을 이해하기 시작했다.

| she<br>그녀 | the plan<br>그 계획 | understand<br>이해하다 | began to<br>~하기 시작했다 |
|---|---|---|---|

______________________________.

4. 우리는 그 영화를 보기 시작한다.

| watch<br>보다 | the movie<br>그 영화 | we<br>우리 | begin to<br>~하기 시작한다 |
|---|---|---|---|

______________________________.

**꼭 기억하세요**

begin to + [동작]은 begin + [동작]ing으로 쓸 수 있어요.

I begin to sing.
= I begin singing.
나는 노래를 부르기 시작한다.

We began to play the game.
= We began playing the game.
우리는 게임을 하기 시작했다.

# VOCABULARY

성

castle

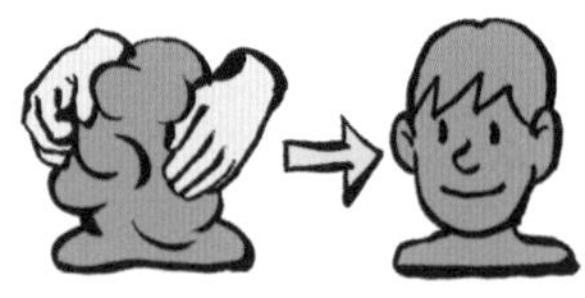

완성된

finished

빨간색의

red

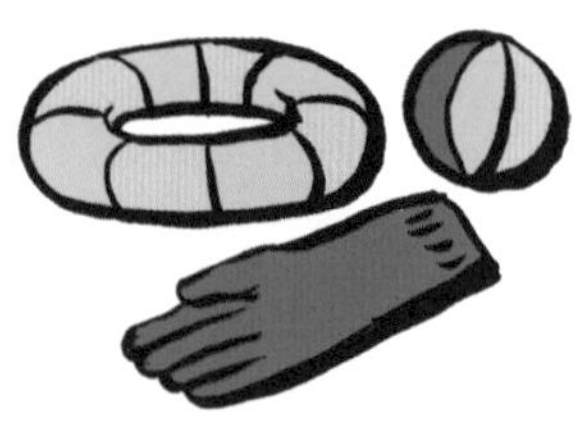

고무

rubber

바닷가재

lobster

가장 높은

tallest

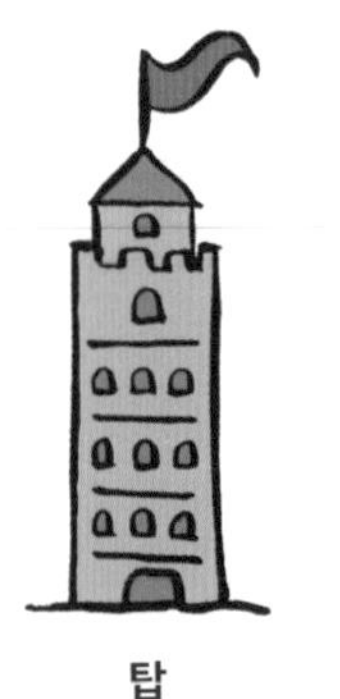

탑

tower

손뼉을 치다 (과거형 clapped)

clap

거대한

giant

멀리

far

덮다

cover

구하다

save

외치다, 울다

cry

당기다

pull

바다

sea

뛰다

jump

용감한

brave

축하하다

celebrate

# VOCABULARY QUIZ

1 알파벳을 연결해서 단어를 만들고, 알맞은 그림과 연결해 보세요.

2 빈칸에 알맞은 알파벳을 넣어 단어를 완성해 보세요.

3 그림을 보고 알맞은 단어를 넣어 퍼즐을 완성해 보세요.

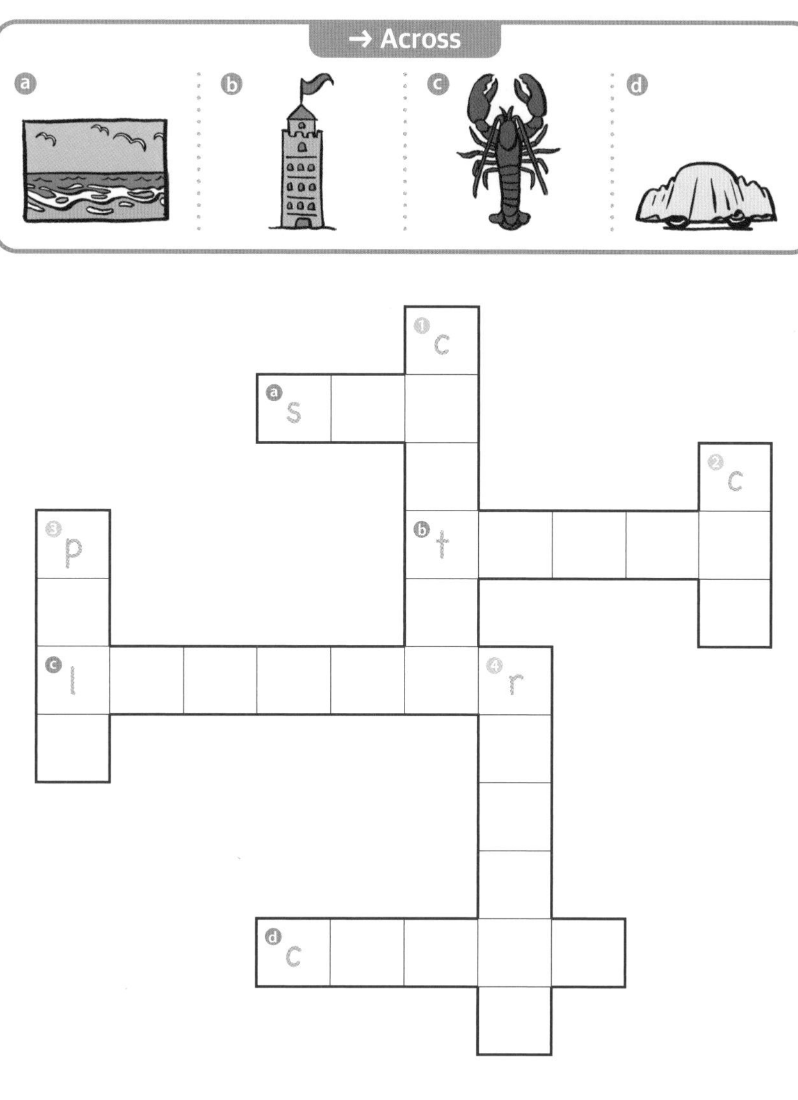


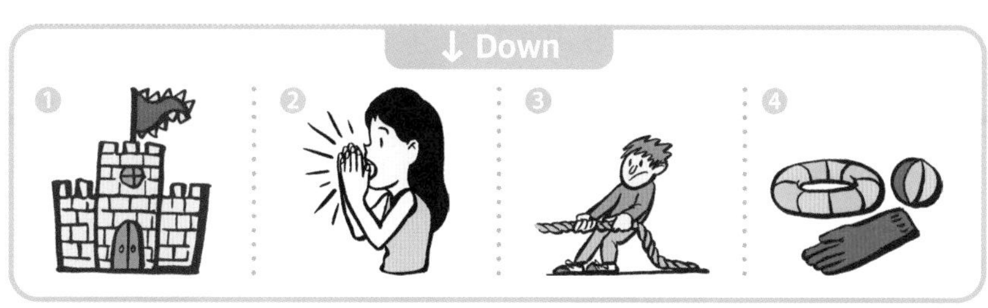

1 이야기의 순서에 맞게 그림을 배열해 보세요.

a

Mudge jumped into the water and got the rubber lobster back.

b

The water pulled the red rubber lobster away.

c

A huge wave washed onto the sand castle.

d

Henry, Mudge, and Henry's father had cherry sno-cones to celebrate.

   ···▸  ···▸ 

## 2 다음 질문에 알맞은 답을 선택해 보세요.

1) What did Henry's father put on the tallest tower?

a. He put his red rubber lobster on it.

b. He put his hat on it.

c. He put his blue ball on it.

2) Why did Mudge wake up?

a. A giant wave covered him.

b. He was hungry.

c. Henry woke him up.

3) Who saved the red rubber lobster from being pulled into the water?

a. Henry

b. Henry's father

c. Mudge

## 3 책의 내용과 일치하면 T, 그렇지 않으면 F를 적어 보세요.

1) Henry's father stuck the rubber lobster in the moats. ____

2) A giant wave covered the sand castle, but not Mudge. ____

3) The water was taking the rubber lobster out to sea. ____

### 유용한 영어 표현

Mudge jumped **into** the waves.
머지가 파도 속으로 뛰어들었다.

파도가 아빠의 고무 바닷가재를 휩쓸고 가 버렸어요! 하지만 용감한 머지가 파도 속으로 뛰어들어서 그것을 찾아왔어요. 머지가 파도 속으로 뛰어든 것처럼, **"~ 안으로"** 또는 **"~ 속으로"**라고 방향을 말할 때는 into 다음에 사물이나 장소를 쓰면 돼요.

**into + [사물/장소]: ~ 안으로 / ~ 속으로**

I ran **into** the bathroom.
나는 화장실 안으로 달려갔다.

A man put his letter **into** an envelope.
한 남자가 봉투 속으로 그의 편지를 넣었다.

The princess came **into** the room.
그 공주는 방 안으로 들어왔다.

I pushed the key **into** the lock.
나는 그 열쇠를 자물쇠 안으로 밀어 넣었다.

우리말과 뜻이 통하도록 네모 안에 들어 있는 말을 바르게 배열해 보세요.

1. 그 남자아이는 물속으로 뛰어들었다.

| into | the boy | dove | the water |
|---|---|---|---|
| ~ 속으로 | 그 남자아이 | 뛰어들었다 | 물 |

The boy dove ________________.

2. 그 학생들은 도서관 안으로 줄지어 들어갔다.

| the library | into | filed | the students |
|---|---|---|---|
| 도서관 | ~ 안으로 | 줄지어 갔다 | 그 학생들 |

________________.

3. 나는 먼지를 쓰레기통 속으로 쓸어 넣었다.

| dust | I | into | swept | the wastebasket |
|---|---|---|---|---|
| 먼지 | 나 | ~ 속으로 | 쓸었다 | 쓰레기통 |

________________.

4. 햇살이 내 방 안으로 쏟아져 들어왔다.

| my room | flooded | the sunlight | into |
|---|---|---|---|
| 내 방 | 쏟아져 들어왔다 | 햇살 | ~ 안으로 |

________________.

5. 관광 안내원이 우리를 성 안으로 데리고 갔다.

| the tour guide | into | us | led | the castle |
|---|---|---|---|---|
| 관광 안내원 | ~ 안으로 | 우리 | 데리고 갔다 | 성 |

________________.

# VOCABULARY

바다

ocean

아버지

father

걷다

walk

~을 따라

along

모래

sand

보다

watch

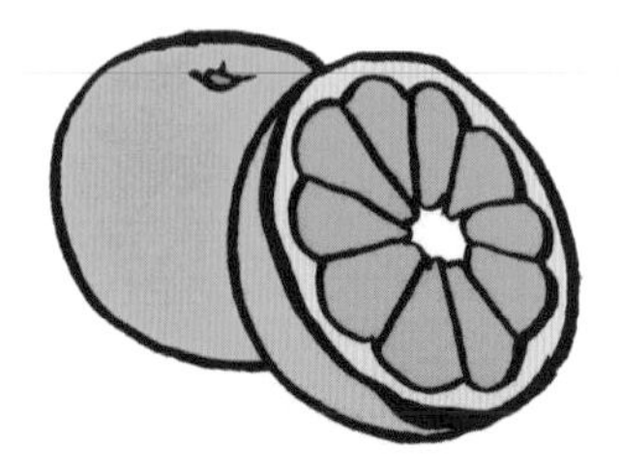

주황색의

orange

(해가) 지다

set

반짝이다; 반짝거림

sparkle

초록색의

green

노란색의

yellow

게

crab

튀어나오다

pop out

옆으로

sideways

빠르게

fast

~을 밟다

step on

조심해!

look out

멈추다 (과거형 stopped)

stop

# VOCABULARY QUIZ

**1** 그림에 맞는 단어를 퍼즐에서 찾아 표시하고 단어를 써 보세요.

| | | | | | | | | | | |
|---|---|---|---|---|---|---|---|---|---|---|
| s | b | o | r | z | a | p | f | w | h | r |
| h | a | c | p | r | h | n | a | o | w | e |
| g | r | e | e | n | w | j | s | d | g | s |
| u | c | a | t | k | o | p | t | i | f | e |
| x | y | n | i | v | p | e | r | n | q | t |
| w | i | n | l | w | m | i | p | s | t | q |
| a | f | r | h | n | a | l | o | n | g | t |
| t | k | w | u | t | c | s | e | i | g | d |
| c | q | e | s | t | o | p | h | z | h | h |
| h | m | j | j | s | t | o | s | e | t | u |
| e | b | c | r | a | b | a | u | f | q | h |

## 2 그림에 맞는 단어를 연결하고 빈칸에 알맞은 알파벳을 넣어 보세요.

- s _ de _ _ ys
- _ _ _ k out
- p _ _ out

## 3 글자를 바르게 배열하여 단어를 완성해 보세요.

a f e h t r

______

e g r a o n

______

a w l k

______

s n a d

______

a r l e k s p

______

l y e l w o

______

t p e s

______ on

a n c o e

______

# 1 이야기의 순서에 맞게 그림을 배열해 보세요.

Henry, Mudge, and Henry's father walked along the shore.

Henry's father watched the crab.

It was time to leave the beach.

Suddenly, a crab came out and Mudge almost stepped on it.

## 2 다음 질문에 알맞은 답을 선택해 보세요.

1) What did Henry, Mudge, and Henry's father have to do at the end of the day?

a. They had to leave the ocean.

b. They had to prepare dinner.

c. They had to crush their sand castle.

2) What did Henry, Mudge, and Henry's father see on the beach?

a. A lot of trash lying on the sand

b. Some dolphins jumping out of the water

c. The water sparkling green and yellow

3) What did Mudge do when he saw the crab?

a. He stopped and put his nose to the sand.

b. He tried to step on it.

c. He ran away from it.

## 3 책의 내용과 일치하면 **T**, 그렇지 않으면 **F**를 적어 보세요.

1) Henry, Mudge, and Henry's father watched the sun set. _____

2) The crab came up sideways, very slowly. _____

3) Henry's father could tell which side was the front of the crab right away. _____

# PATTERN DRILL

## 유용한 영어 표현

It was time to say good-bye to the ocean.
바다와 작별 인사를 할 시간이 되었다.

신나게 놀다 보니 어느새 날이 저물었어요. 바다에게 '안녕!'이라고 인사할 시간이 된 것이지요. 이렇게 **"~할 시간이다"**라고 말할 때는 it is time to 다음에 동작을 나타내는 표현을 써서 말할 수 있어요. 이때 동작 표현은 항상 원래 모습이어야 해요.

**it is time to + [동작]: ~할 시간이다**

It is time to have dinner.
저녁 먹을 시간이다.

It is time to study English.
영어를 공부할 시간이다.

It was time to feed my dog.
내 개에게 먹이를 줄 시간이었다.
* 지나간 일에 대해 말할 때 'it is'는 'it was'로 변해요.

It was time to make a presentation.
발표를 할 시간이었다.

우리말과 뜻이 통하도록 네모 안에 들어 있는 말을 바르게 배열해 보세요.

1. 운동할 시간이다.

| it is time to<br>~할 시간이다 | work out<br>운동하다 |
|---|---|

It is time to ______________________________.

2. 머지와 산책하러 갈 시간이다.

| with Mudge<br>머지와 | it is time to<br>~할 시간이다 | take a walk<br>산책하다 |
|---|---|---|

______________________________.

3. 우리 팀을 응원할 시간이다.

| cheer for<br>~을 응원하다 | it is time to<br>~할 시간이다 | our team<br>우리 팀 |
|---|---|---|

______________________________.

4. 오래된 커튼을 바꿀 시간이었다.

| the old curtain<br>오래된 커튼 | change<br>바꾸다 | it was time to<br>~할 시간이었다 |
|---|---|---|

______________________________.

5. 학교에 갈 시간이었다.

| go<br>가다 | to school<br>학교에 | it was time to<br>~할 시간이었다 |
|---|---|---|

______________________________.

# VOCABULARY

갑자기
suddenly

게
crab

옆으로
sideways

멀리
away

쫓다
chase

쏙 사라지다
pop back

모래
sand

~을 보다
look at

새로운
new

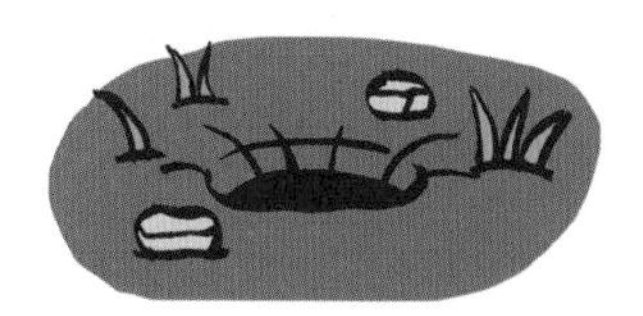

구멍

hole

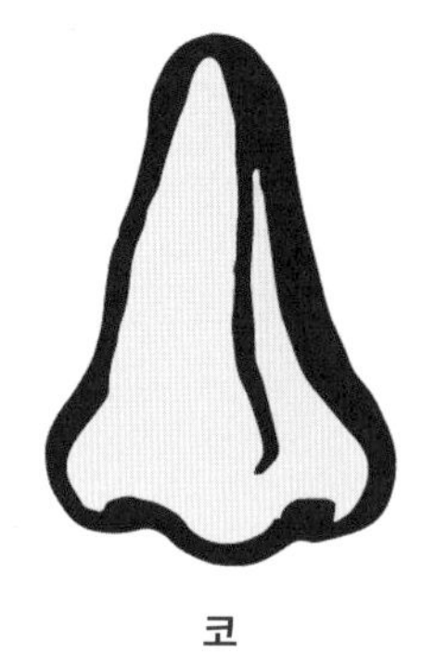

코

nose

아무도 ~않다

nobody

추측하다

guess

또 하나의, 다른

another

환호하다

cheer

껴안다; 포옹 (과거형 hugged)

hug

걷다

walk

모든

every

# VOCABULARY QUIZ

1 알파벳을 연결해서 단어를 만들고, 알맞은 그림과 연결해 보세요.

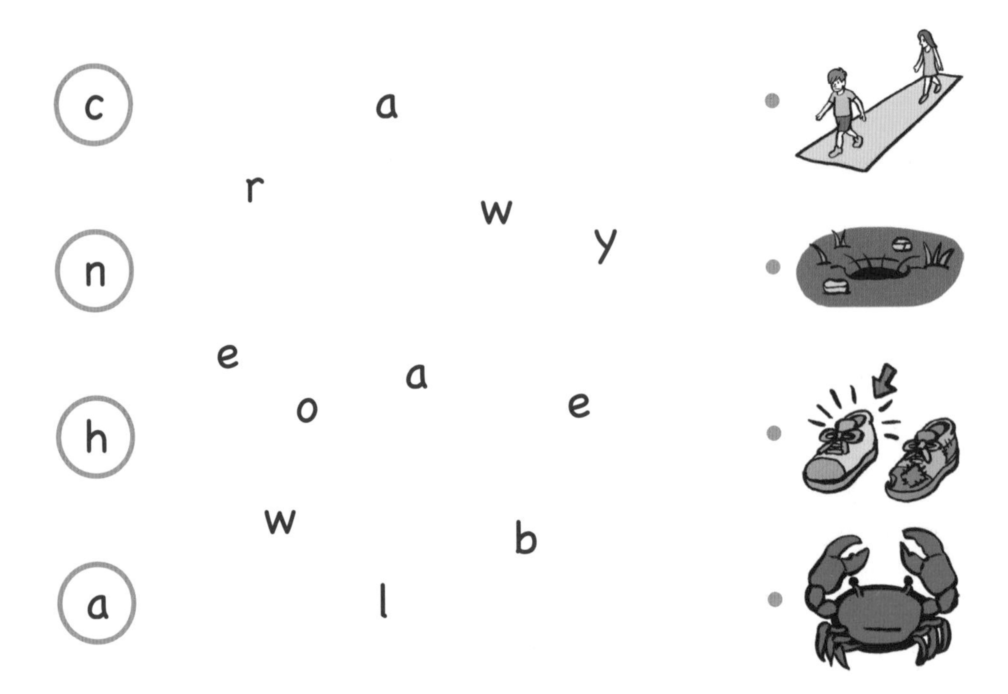


2 빈칸에 알맞은 알파벳을 넣어 단어를 완성해 보세요.

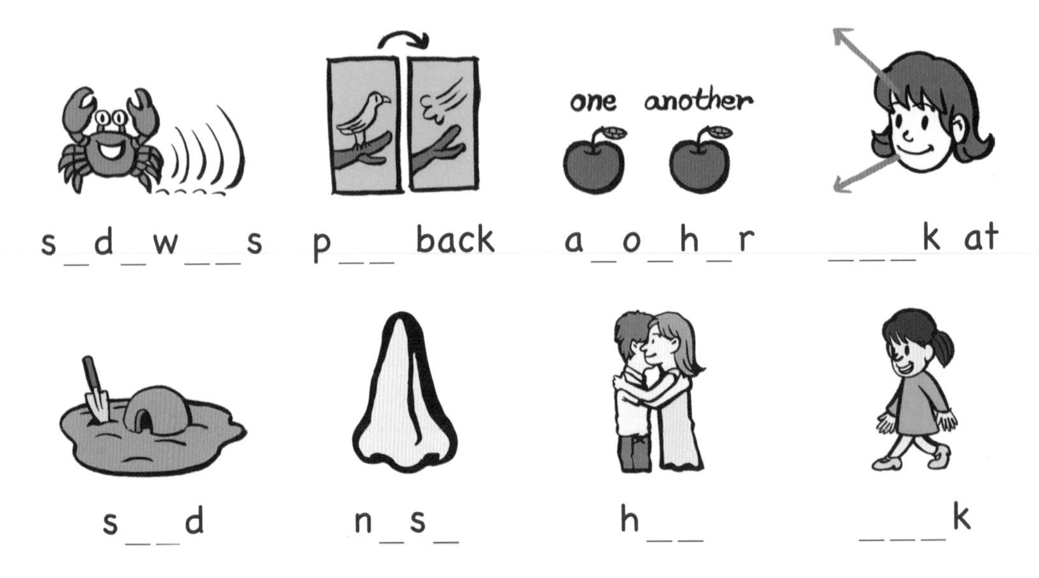

3 그림을 보고 알맞은 단어를 넣어 퍼즐을 완성해 보세요.

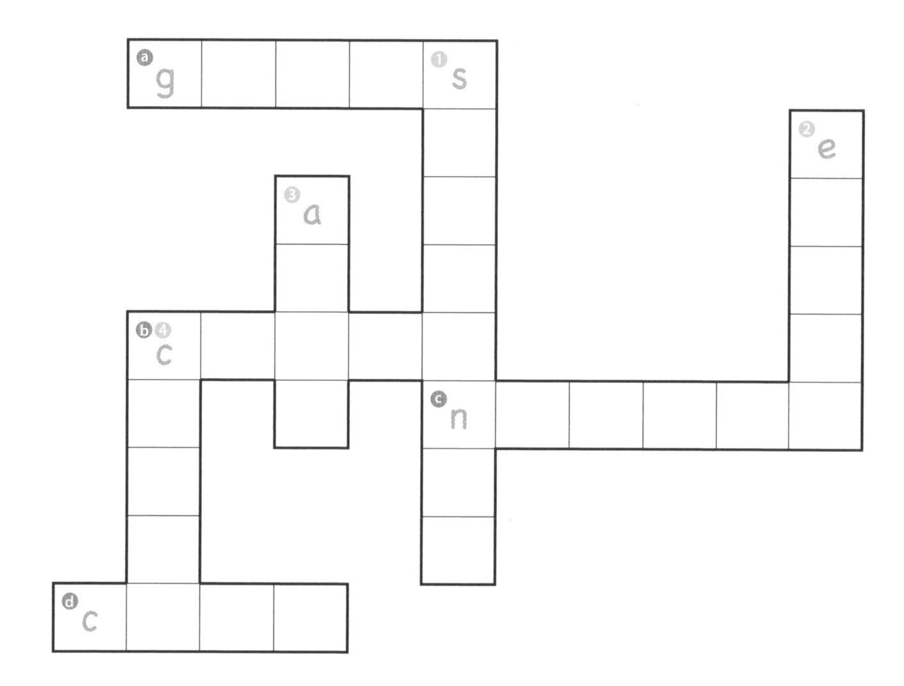


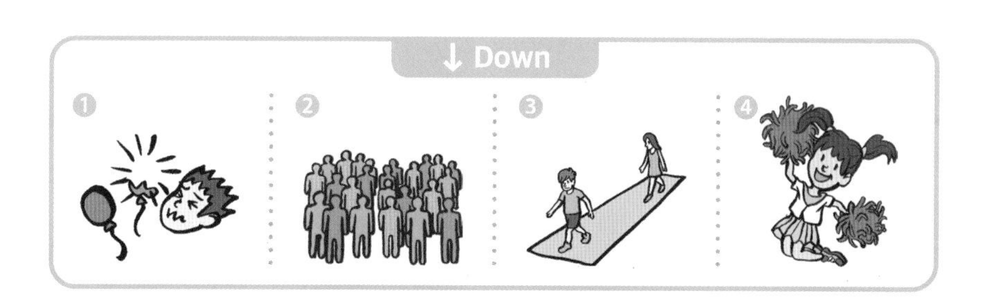

1 이야기의 순서에 맞게 그림을 배열해 보세요.

a

Mudge chased the crab when it ran away.

b

Henry hugged his father because he could have another sno-cone.

c

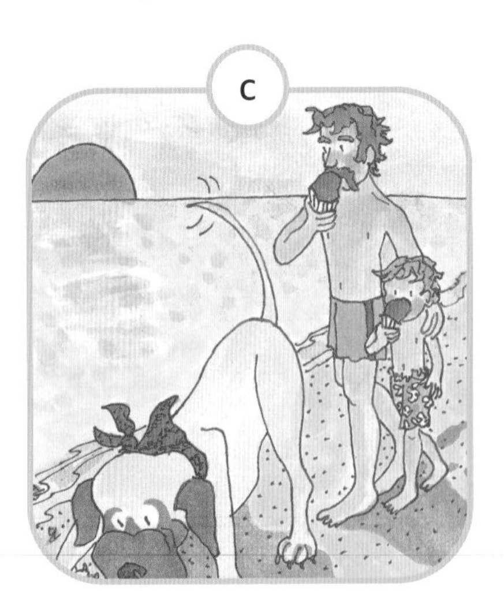

Mudge put his nose into every hole but nobody came out.

d

They all looked at the hole that the crab dug.

  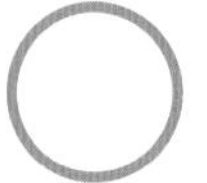 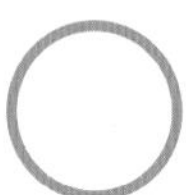 

## 2 다음 질문에 알맞은 답을 선택해 보세요.

1) What did Mudge do when the crab ran away?

a. He barked at it.

b. He just watched it run away.

c. He chased after it.

2) What did Henry's father say after the crab was gone?

a. They would have to have another sno-cone.

b. They would have to dig a hole to find the crab.

c. They would have to leave before the sun set.

3) How did Henry react to his father's words?

a. Henry was so disappointed that he kicked some sand.

b. Henry cheered and hugged his father.

c. Henry just nodded at his father's words.

## 3 책의 내용과 일치하면 **T**, 그렇지 않으면 **F**를 적어 보세요.

1) The crab ran away from Henry, Henry's father, and Mudge. ____

2) Henry's father decided to have pizza for dinner. ____

3) Mudge stuck his foot into every hole he saw. ____

## 유용한 영어 표현

**Nobody came out.**
아무도 나오지 않았다.

도망친 게를 찾으려고 모래사장의 모든 구멍에 코를 넣어 본 머지. 하지만 구멍에서는 아무도 나오지 않았어요. 이렇게 **"아무도 ~하지 않다"**라고 말할 때는 nobody를 먼저 쓰고 동작을 나타내는 표현을 이어서 써요. nobody로 말을 시작하면 동작 표현에 **not**이나 **no**를 더 붙이지 않아도 돼요. 이미 nobody에 **no**가 들어 있기 때문이죠.

**nobody + [동작]: 아무도 ~않다**

Nobody knew for sure.
아무도 확실하게 알지 못했다.

Nobody answered the phone.
아무도 전화를 받지 않았다.

Nobody wanted to go there.
아무도 그곳에 가고 싶어 하지 않았다.

Nobody did homework.
아무도 숙제를 하지 않았다.

우리말과 뜻이 통하도록 네모 안에 들어 있는 말을 바르게 배열해 보세요.

1. 아무도 나를 믿지 않았다.

| believed<br>믿었다 | nobody<br>아무도 ~하지 않다 | me<br>나 |
|---|---|---|

Nobody believed ______________________.

2. 아무도 그의 생일 파티에 가지 않았다.

| went<br>갔다 | to his birthday party<br>그의 생일 파티에 | nobody<br>아무도 ~하지 않다 |
|---|---|---|

______________________.

3. 아무도 그 음식을 좋아하지 않았다.

| that food<br>그 음식 | liked<br>좋아했다 | nobody<br>아무도 ~하지 않다 |
|---|---|---|

______________________.

4. 아무도 나에게 동의하지 않았다.

| with me<br>나에게 | agreed<br>동의했다 | nobody<br>아무도 ~하지 않다 |
|---|---|---|

______________________.

5. 아무도 선생님에게 집중하지 않았다.

| paid attention<br>집중했다 | nobody<br>아무도 ~하지 않다 | to the teacher<br>선생님에게 |
|---|---|---|

______________________.

# ANSWERS

## Part 1

### Vocabulary Quiz

1.

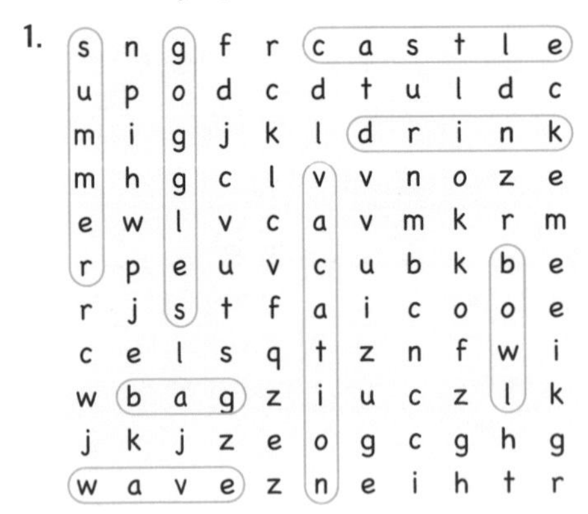


2.

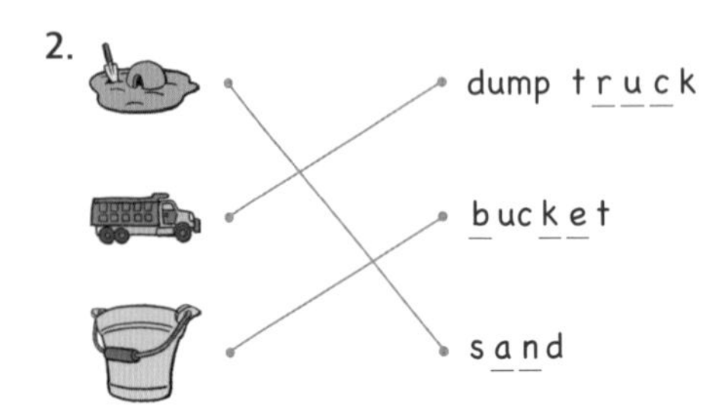


3. shell / jug / ball / beach
   bone / shovel / shark / wave

### Wrap-up Quiz

1. d ···› c ···› b ···› a
2. 1) b  2) b  3) c
3. 1) F  2) T  3) F

### Pattern Drill

1. I cannot wait to read the book.
2. We can't wait to go to New York.
3. She couldn't wait to solve the puzzle.
4. He could not wait to wear his new pants.
5. The children couldn't wait to build a snowman.

## Part 2

### Vocabulary Quiz

1.

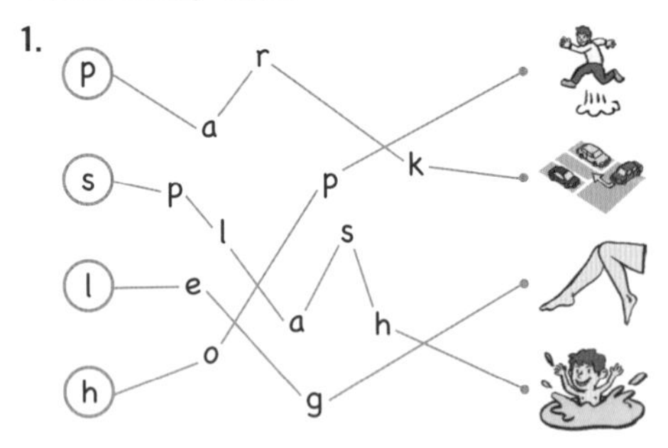


2. rush / edge / brave / forever
   whale / surfboard / laugh / wet

3.

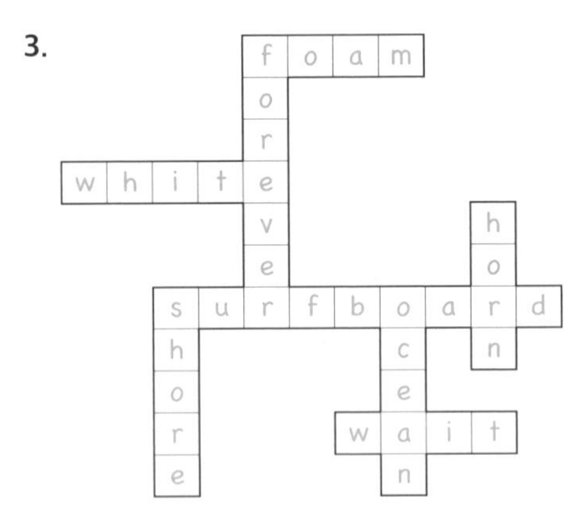


### Wrap-up Quiz

1. d ···› c ···› a ···› b
2. 1) c  2) a  3) b
3. 1) F  2) T  3) T

### Pattern Drill

1. The birds look like blue balls.
2. The branches look like dinosaur bones.
3. The field looked like a golden sea.
4. It looked like a treasure box.
5. The shadow on the wall looked like a monster.

## Part 3

### Vocabulary Quiz

1.

| | | | | | | | | | | |
|---|---|---|---|---|---|---|---|---|---|---|
| x | q | t | q | p | j | r | r | s | h | r |
| h | b | o | q | k | y | r | z | l | m | i |
| c | m | w | h | w | e | s | t | a | n | d |
| m | x | e | s | a | n | l | t | w | y | w |
| v | u | r | u | l | g | u | s | n | x | c |
| l | p | a | z | k | e | t | c | h | u | p |
| u | n | f | f | h | f | i | r | o | k | t |
| n | u | q | f | r | a | g | j | t | w | x |
| c | d | v | d | h | d | o | n | i | o | n |
| h | q | y | m | t | i | m | k | j | f | i |
| t | y | f | a | t | h | e | r | n | w | i |

2.

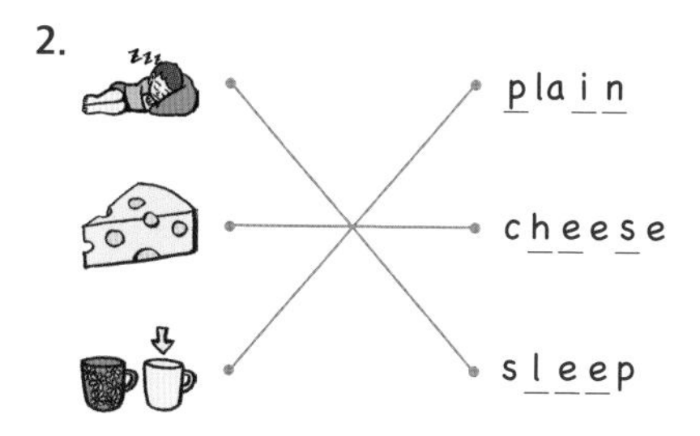


3. sand / build / yuck / castle
   moat / nice / bed / onion

### Wrap-up Quiz

1. a ···› c ···› b ···› d
2. 1) b   2) a   3) c
3. 1) F   2) T   3) F

### Pattern Drill

1. The kittens begin to sleep.
2. The crowd began to gather.
3. She began to understand the plan.
4. We begin to watch the movie.

## Part 4

### Vocabulary Quiz

1.

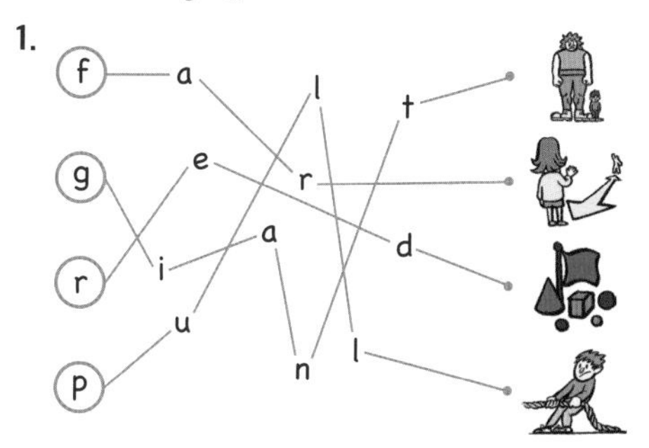


2. finished / rubber / brave / clap
   tallest / save / jump / celebrate

3.

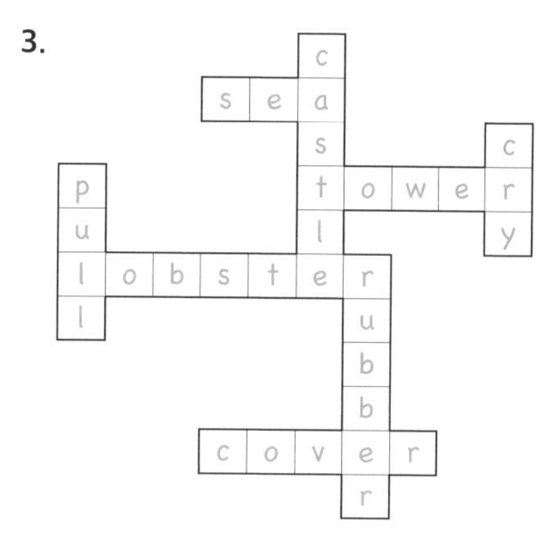


### Wrap-up Quiz

1. c ···› b ···› a ···› d
2. 1) a   2) a   3) c
3. 1) F   2) F   3) T

### Pattern Drill

1. The boy dove into the water.
2. The students filed into the library.
3. I swept dust into the wastebasket.
4. The sunlight flooded into my room.
5. The tour guide led us into the castle.

# ANSWERS

## Part 5

### Vocabulary Quiz

1.

| | | | | | | | | | | |
|---|---|---|---|---|---|---|---|---|---|---|
| s | b | o | r | z | a | p | f | w | h | r |
| h | a | c | p | r | h | n | a | o | w | e |
| g | r | e | e | n | w | j | s | d | g | s |
| u | c | a | t | k | o | p | t | i | f | e |
| x | y | n | i | v | p | e | r | n | q | t |
| w | i | n | l | w | m | i | p | s | t | q |
| a | f | r | h | n | a | l | o | n | g | t |
| t | k | w | u | t | c | s | e | i | g | d |
| c | q | e | s | t | o | p | h | z | h | h |
| h | m | j | j | s | t | o | s | e | t | u |
| e | b | c | r | a | b | a | u | f | q | h |

2.

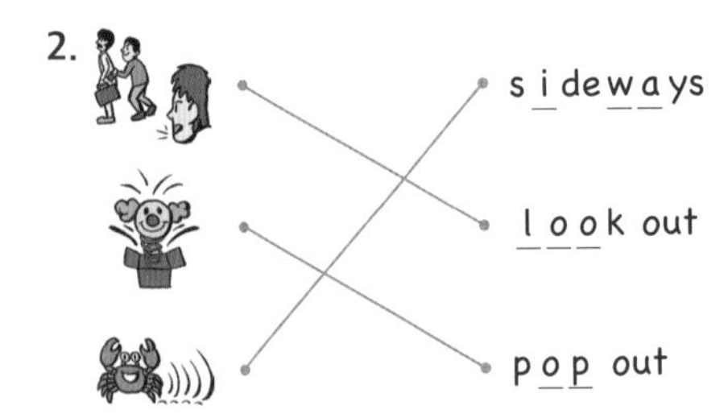


3. father / orange / walk / sand
   sparkle / yellow / step on / ocean

### Wrap-up Quiz

1. c ···› a ···› d ···› b
2. 1) a 2) c 3) a
3. 1) T 2) F 3) F

### Pattern Drill

1. It is time to work out.
2. It is time to take a walk with Mudge.
3. It is time to cheer for our team.
4. It was time to change the old curtain.
5. It was time to go to school.

## Part 6

### Vocabulary Quiz

1.

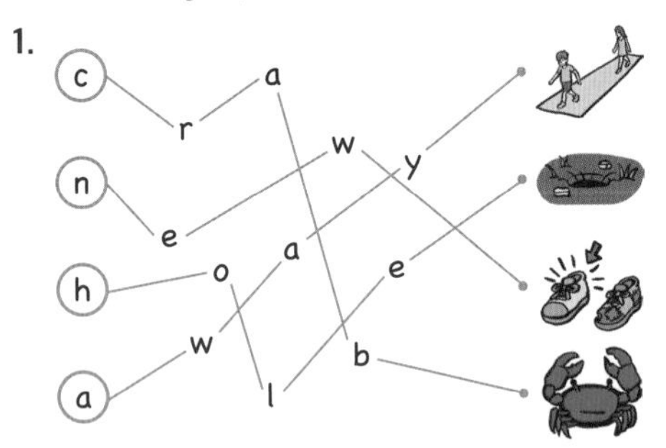

2. sideways / pop back / another / look at
   sand / nose / hug / walk

3.

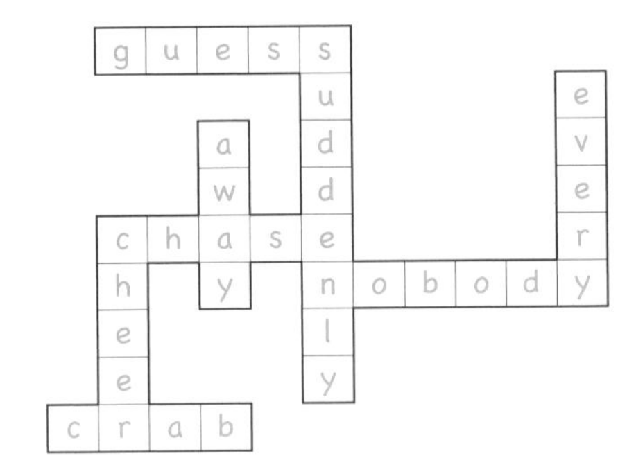


### Wrap-up Quiz

1. a ···› d ···› b ···› c
2. 1) c 2) a 3) b
3. 1) T 2) F 3) F

### Pattern Drill

1. Nobody believed me.
2. Nobody went to his birthday party.
3. Nobody liked that food.
4. Nobody agreed with me.
5. Nobody paid attention to the teacher.